L'Ogre [illegible] les livres

Mymi Doinet • Mérel

Rachid le timide

Mélanie la chipie

Pacha le chat

Pascale la géniale

Arthur le gros dur

Es-tu prêt pour une nouvelle aventure ? Eh bien, commençons !
Ah, j'y pense : les mots suivis d'un ☼ sont expliqués à la fin de l'histoire.

Chaque mercredi, Gafi et ses amis se donnent rendez-vous devant la bibliothèque municipale.
À 10 heures, les portes s'ouvrent...

– Bienvenue les enfants ! dit la bibliothécaire, Mademoiselle Bellepage. J'ai reçu des piles de nouveaux livres. À vous de faire la chasse aux trésors !
– Partons explorer les montagnes d'albums, s'écrient Pascale et Mélanie. Abracadabra ! Dedans, on va sûrement trouver des sorcières déguisées en princesses.

Arthur et Rachid se dressent
sur leurs baskets pour attraper
les livres haut perchés.
Mais avec Gafi, pas besoin d'échelle !
Hop, il vole par-dessus les étagères, pour
choisir un dictionnaire sur les dinosaures !
Arthur se vante :
– Youpi, je vais être incollable
sur les diplodocus !

Tout à coup, un nouveau lecteur
arrive en faisant trembler le sol.
Sa tête balaye le plafond, sa barbe
est très longue et son ventre est rond
comme une citrouille !
Effrayés, Rachid et toute la bande filent
se cacher derrière une étagère de livres
sur les pirates.

Qui est ce lecteur effrayant ?

L'énorme bonhomme ordonne :
– Ça sent la chair fraîche par ici, donnez-moi un conte bon à croquer !

Apeurée, mademoiselle Bellepage dit de sa voix de fée :

– Voici l'histoire de deux enfants qui habitent une maison tout en biscuits !

Le lecteur inconnu se pourlèche la barbe :

– Des enfants ? Miam, j'adore les dévorer page après page !

Sans dire merci, le bonhomme s'enfuit.
Et il renverse au passage tous les livres
sur la vie des ours de la banquise !
Encerclée par les albums remplis d'ours
blancs, mademoiselle Bellepage tempête :
– Je n'ai pas eu le temps de noter
le nom et l'adresse de ce mal élevé.
Impossible de lui faire sa carte de lecteur !

Le mercredi suivant, Gafi et ses amis marchent à pas de loup vers la bibliothèque. L'énorme bonhomme est déjà là et il hurle :

– Je veux croquer d'autres enfants !

En une bouchée, il avale les livres du *Petit Chaperon rouge* et de *Tom Pouce*. Puis il se sauve plus vite que son ombre !

Mademoiselle Bellepage en est sûre :
– Ce voleur est un ogre ! L'horrible glouton ne croque pas seulement les enfants perdus dans la forêt. Il dévore aussi ceux qui sont dans les albums ! Son ventre doit contenir une vraie bibliothèque, avec des dizaines de livres à peine mâchés !

L'ogre va-t-il dévorer
tous les livres
de la bibliothèque ?

Arthur bougonne :
– Il faut piéger ce dévoreur,
sinon il va manger tous nos livres !
Mélanie saisit un vieil album
sur les potions magiques,
et elle lit à haute voix :

Pour mijoter la soupe
qui fait ronfler les ogres,
il faut cuire 50 kilos de saucisses,
une douzaine d'araignées,
et verser par-dessus un plein seau
de sirop de coquelicot !

Vite, il faut préparer la potion magique !
Rachid court acheter 50 kilos de saucisses.
Monsieur Gigot, le boucher, est très étonné :
– Voici de quoi nourrir toute une colonie
de vacances !

Pendant ce temps, Pascale prend
son épuisette, et elle file à la cave
pour pêcher de grosses araignées !
Quant à Arthur, il court à la pharmacie
et il achète tous les flacons de sirop
de coquelicot !

Le mercredi suivant, quand l'ogre
entre dans la bibliothèque,
mademoiselle Bellepage lui tend sa potion.
L'ogre bave :
– Miam, j'ai faim !

Le glouton vide la marmite, puis il s'endort. Gafi saute aussitôt sur l'ogre pour l'aplatir comme une crêpe. Gloups ! le ronfleur recrache tous les livres qu'il a avalés. Et il devient aussi minuscule qu'un lutin...

Boudant d'être plus petit qu'une page, l'ogre ouvre un album, et hop, il disparaît dedans !
Alors, quand tu iras à la bibliothèque, cherche bien dans les livres de contes, tu retrouveras certainement l'ogre. Gafi et ses amis lui ont fait une bonne farce !

c'est fini !

Certains mots sont peut-être difficiles à comprendre. Je vais t'aider !

Explorer : Pascale, Mélanie et Gafi regardent les albums avec attention.

Se pourlèche : le lecteur inconnu se passe la langue sur la barbe. Il se régale à l'avance de dévorer les enfants dans les pages du livre.

Banquise : la banquise est une étendue de glace qui flotte dans les mers très froides.

Les flacons : les flacons sont de petites bouteilles, comme les flacons de parfum.

As-tu aimé mon histoire ? Jouons ensemble, maintenant !

Message secret !

Pour découvrir ce que disent l'ogre et la bibliothécaire, remplace les chiffres par les bonnes voyelles = 1 : A - 2 : E - 3 : I - 4 : O - 5 : U.

M31M, J2 V25X M1NG2R UN L3VR2 PL23N D'2NF1NTS CR45ST3LL1NTS
4GR2 GL45T4N, J2 V13S V45S D4NN2R 5N2 B4NN2 P4T34N !

Réponse : L'ogre dit : « Miam, je veux manger un livre plein d'enfants croustillants ». La bibliothécaire répond : « Ogre glouton, je vais vous donner une bonne potion ! »

Mes contes préférés

Cette grille contient plusieurs personnages de contes. Inscris leur nom en face de chaque dessin qui les représente !

Réponse : 1 : LOUP. - 2 : ROI. - 3 : PRINCESSE. - 4 : FÉE. - 5 : SIRÈNE. - 6 : FANTÔME. - 7 : SORCIÈRE. - 8 : OGRE. - 9 : NAIN.

Vive la bibliothèque !

Tu peux y emprunter plein de livres de contes ! Coche la bonne réponse pour chacune de ces histoires bien connues !

Blanche-Neige a croqué dans :

a. une poire pourrie
b. une pomme empoisonnée

Quand il ment, le nez de Pinocchio :

a. s'allonge comme un manche à balai
b. coule comme s'il avait la grippe

Pour aller au bal, Cendrillon se déplace :

a. dans une pomme de terre gigantesque
b. dans une citrouille géante

Boucle d'or rencontre :

a. trois loups gris
b. trois ours bruns

Pour ne pas perdre son chemin dans la forêt, le Petit Poucet sème :

a. des petits cailloux blancs
b. des graines de radis

Réponse : 1 : b. - 2 : a. - 3 : b. - 4 : b. - 5 : a.

Rébus

Décode ces rébus et tu sauras ce que dit le Petit Chaperon rouge et ce que lui répond le loup !

Réponse : Le Petit Chaperon rouge dit : noeud - meuh - dé - V' - or - pas.(*Ne me dévore pas*)
Le loup répond : J' - oeufs - nez - pas - F' - un - G - M' - an - G - T' - rois - poux - L' - oeufs. (*Je n'ai pas faim, j'ai mangé trois poules*).

Dans la même collection

Illustrée par Mérel

Je commence à lire

1- *Qui a fait le coup ?* Didier Jean et Zad • 2- *Quelle nuit !* Didier Lévy • 3- *Une sorcière dans la boutique,* Mymi Doinet • 4- *Drôle de marché !* Ann Rocard • 15- *Bon anniversaire, Gafi !* Arturo Blum • 16- *La fête de la maîtresse,* Fanny Joly • 23- *Gafi et le magicien,* Arturo Blum • 24- *Le robot amoureux,* Stéphane Descornes • 29- *Une drôle de robe !* Elsa Devernois • 30- *Pagaille chez le vétérinaire !* Stéphane Descornes • 35- *Le nouvel élève,* Anne Ferrier • 36- *Le visiteur de l'espace,* Stéphane Descornes

Je lis

5- *Gafi a disparu,* Didier Lévy • 6- *Panique au cirque !* Mymi Doinet • 7- *Une séance de cinéma animée,* Ann Rocard • 8- *Un sacré charivari,* Didier Jean et Zad • 13- *Le château hanté,* Stéphane Descornes • 14- *Attention, travaux !* Françoise Bobe • 19- *Mystère et boule de neige,* Mymi Doinet • 20- *Le voleur de bonbons,* Didier Jean et Zad • 25- *Le roi de la patinoire,* Didier Lévy • 26- *Qui a mangé les crêpes ?* Anne Ferrier • 31- *Le passager mystérieux,* Françoise Bobe • 32- *Un fantôme à New York,* Didier Lévy

Je lis tout seul

9- *L'ogre qui dévore les livres,* Mymi Doinet • 10- *Un étrange voyage,* Ann Rocard • 11- *La photo de classe,* Didier Jean et Zad • 12- *Repas magique à la cantine,* Didier Lévy • 17- *La course folle,* Elsa Devernois • 18- *Sauvons Pacha !* Laurence Gillot • 21- *Bienvenue à bord !* Ann Rocard • 22- *Gafi et le chevalier Grocosto,* Didier Lévy • 27- *Qui a kidnappé la Joconde ?* Mymi doinet • 28- *Grands frissons à la ferme !* Didier Jean et Zad • 33- *Les chocolats ensorcelés,* Mymi Doinet • 34- *Au bal costumé,* Laurence Gillot

Directeur de collection et conseil pédagogique :
Alain Bentolila

Loi n°49956 du 16 juillet 1949
sur les publications destinées à la jeunesse
ISBN 978-2-09-282645-4
N° éditeur : 10157119 - Dépôt légal : février 2009
Imprimé en France par Loire Offset Titoulet